RAAL
EL NIÑO MOMIA

E.C. Tamez

BARKER & JULES®

BARKER & JULES®

RAAL, EL NIÑO MOMIA

Edición: Barker & Jules Books™
Ilustración: Carlos Iván Reza.
Diseño de Portada: Carlos Iván Reza.
Diseño de Interiores: Juan José Hernández Lázaro | Barker & Jules Books™

Primera edición — 2020

I.S.B.N. | 978-1-64789-279-1
I.S.B.N. eBook | 978-1-64789-280-7

BARKER & JULES, LLC
2248 Meridian Blvd. Ste. H, Minden, NV 89423
barkerandjules.com

Para Tammy y Emi, mis pequeños pensadores

A Leni, mi musa, por tejer con amor sus mentecitas

Hace muy poco tiempo, en un pequeño y lejano pueblo, había un gran basurero por una zona muy alta, en una colina en donde se puede apreciar toda la ciudad. Dicen que ahí hay una cueva junto a un gran árbol triste de grandes brazos deshidratados y sin hojas, y aunque para todos es invisible, algunos aseguran haber visto a seres extraños que viven por ahí.

Carlitos siempre recordará ese día. Todo empezó cuando jugaba a las escondidas con sus amigos del barrio. Roberto y Arturo se habían escondido debajo de un viejo auto abandonado, mientras Enrique los buscaba con desesperación. Carlitos, espigado, investigando logró ver entre los arbustos en donde se escondía que alguien se acercaba; rápidamente contuvo la respiración y se tiró con el pecho en la tierra, no se movía y ni siquiera parpadeaba para no ser descubierto; de pronto, el crujir de hojas secas estaba más cerca, se puso en alerta moviendo únicamente los ojitos de un lado a otro y se sorprendió al ver pasar unas pequeñas piernitas, eran raras, estaban enrolladas con una tela amarillenta y sucia. Se fascinó con la gran agilidad en que se movían aún estando vendadas. Inmediatamente después pasaron corriendo otras dos personas, extrañamente una llevaba puesto unos zapatotes que no hacían sentido con las delgadas piernas y detrás otras pisadas, pero ahora con unos pequeños pero elegantes zapatos bostonianos con calcetines rojos. Carlitos sorprendido escuchaba risas extrañas, carcajadas sin armonía, que sin duda eran de aquellos niños, aunque esas risas le provocaban algo de miedo. Las macabras risas se alejaban.

Ante el extraño suceso Carlitos sacó de su pantalón una moneda dorada, su moneda de la buena suerte, una moneda que le había regalado su abuelo para protegerlo, y para él ya era una leyenda la buena fortuna de la brillante moneda. Le pidió que le diera fuerza y salió de su escondite lentamente expulsando todo el aire que había contenido, cuando de pronto…

—"*¡Ahhhh!*", un espantoso y agudo grito como el de una película de miedo, lo hizo ponerse atento. Su corazón latió con fuerza y pensó en el peligro que corrían sus amigos y los buscaba abriendo los ojos lo más que podía, hasta que a lo lejos vio a sus tres amigos corriendo a toda velocidad, bajando la colina gritando como locos. Al principio le dio mucha risa, hasta posó su mano en la boca del estómago conteniendo la alegría, para que no se le escapara. De pronto el chasquido de la ruptura de una rama se escuchó exactamente a sus espaldas, Carlitos volteó con gran velocidad.

—"*¡¡¡Ahhh!!!*", el escandaloso grito ahora era de Carlitos, que se cubrió con los brazos para defenderse.

Carlitos no se había dado cuenta que Bruno, un muchacho bravucón del pueblo, los había seguido hasta el lugar de juego y había espantado a sus amigos, y ahora estaba frente a él.

—"*¿Qué te pasa?, ¿por qué nos molestas?*", dijo Carlitos con voz fuerte y firme mostrando su enojo.

—"*A ver tonto, si no quieres problemas mejor cállate, y dame tu moneda de oro, esa que todos dicen que te da fuerza y buena suerte*", amenazó Bruno. Carlos metió las manos a las bolsas del pantalón, pero se detuvo.

—"*Ándale Carlos, no quieres que yo mismo te la quite, ¿verdad?, no tengo mucho tiempo*", apresuró el malvado niño, pero Carlitos sacó las manos de las bolsas sin la moneda.

—"*No tengo por que darte mi moneda...*", respondió Carlos con valentía, y cuando apenas estaba terminando de hablar, las manos regordetas de Bruno lo tomaron por los hombros y de un rodillazo en el estomago lo dobló al piso. Carlitos salió volando como si se tratará de un títere cayo mientras como un ruin ratero, Bruno lo sacudió en el suelo hasta que la moneda mágica salió de una de sus bolsas.

Bruno riendo recogió la moneda mientras le decía, "*Ya ves, te hubieras ahorrado el rodillazo*". Y salió de ahí soltando tremendas carcajadas, aventando y cachando la moneda en el aire.

Carlitos adolorido comenzó a levantarse con lágrimas en los ojos. Roberto, Arturo y Enrique subieron rápidamente la colina para buscar a su amigo.

—"*¿Estás bien Carlitos?*", preguntaron los tres al mismo tiempo, mientras Carlitos se sobaba y se sacudía la tierra que traía en toda su ropa. En eso, un nuevo crujido de ramas... los tres amigos de Carlitos se quedaron con la boca abierta mirando hacia donde su golpeado amigo se encontraba, misteriosamente en el ambiente no se escuchaba ningún ruido, como si alguien hubiera bajado el volumen en toda la colina. Carlitos un poco molesto y de mala gana comenzó a decir mientras volteaba... "*Mira Bruno, ya tienes mi moneda ahora ¿qué quieres?...*"

Fue entonces cuando las caras de los cuatro amigos tenían una mueca aterrorizada, todos soltaron al unísono un grito que retumbo haciendo eco y llenando nuevamente el ambiente con sonido.

Era un niño momia con dos amigos que, imitándolos también gritaron pero con un tono juguetón, uno de ellos hasta sacaba la lengua queriendo hacer reír a los niños espantados.

Carlitos y sus amigos, temerosos, salieron corriendo a toda velocidad levantando polvo por el camino y se dirigieron hacia las partes bajas de la colina.

ZOMBIE

Raal, el pequeño niño momia, repleto de vendas amarillentas y luciendo algunas manchas de lodo por el juego, tristemente bajo la cabeza y dijo:
—“*Yo nada mas quería jugar con ellos*”, y solo logro que sus amigos se enfadarán.

—*"¡Te lo dijimos Raal! únicamente logramos asustarlos"*, explicó Frankie, un malencarado niño con la cabeza aplanada, con un flequito corto, ojos enterrados y ojerosos, con unos tornillos debajo de cada oreja y otros más sujetaban sus calcetines.

—*"Mi Papá tiene razón, ellos son diferentes y además huelen mal. No debemos de tratar de jugar con ellos."*, replicó Draki, quizás el más gracioso de ellos, flaco con colmillos afilados, con un extraño peinado engomado hacia atrás, adornado con una tierna mirada colmada de un par de grandes ojeras. Saco de vestir negro, chaleco con moño y unos lustrados zapatos bostonianos.

—*"Ustedes no los entienden. ¡Ellos se divierten más que nosotros! por eso debemos de jugar con ellos"*, dijo Raal con tristeza, y con paso lento pero firme se fue, dejando a sus amigos solos y tristes.

Raal llegó a su casa, era una cueva que se encontraba justo a lado de un enorme árbol de ramas tristes y secas que contenían una gran cantidad de juguetes rotos y viejos que Raal había recolectado de la basura de los niños del pueblo, muñecas sin cabeza, conejos de peluche mugrientos y hasta adornos de arboles de navidad maltratados por el tiempo. Era un árbol viejo que Raal quería mucho, él mismo le colocaba los juguetes para que el árbol no se sintiera triste y solo. Cerca de ahí dormía tranquilamente Anubito su perro fiel, bueno, realmente es un lobo.

Al entrar a la casa, sintió algo extraño, sus poderes ancestrales de alta percepción le alertaban que algo sucedería, entonces lentamente con pasitos cortos para no hacer ruido, caminó hacia la cocina y al momento de pasar la puerta… *"¡¡¡WAAAAJAJAJAJAJA!!!"*, saltó de las penumbras una simpática bruja con sombrero puntiagudo, lucía una enorme verruga en la punta de su larga y puntiaguda nariz, con los ojos rodeados de grises ojeras y con un extraño traje negro. Raal, asustado, dio un salto hacia atrás pero rápidamente bajó la cabeza y dijo:

—*"Tenías que ser tú.., Mamá"*, y es que ésta, al verlo que había entrado triste, se escondió detrás de la puerta para levantarle el ánimo con una broma y un buen susto.

—*"¿Qué tienes hijo?. ¿Por qué estás tan triste hoy?"*, replicó la mamá bruja llevándolo lentamente hacia su pecho, hacia su corazón que tanto le gusta escuchar al pequeño Raal.

—*"Quiero jugar con los niños extraños de allá abajo pero siempre todo termina en gritos y sustos para ellos"*, las ataduras de sus vendas parecían flojas con el estado de ánimo del pobre Raal.

—"*¿Para qué quieres jugar con ellos mi pequeño?*", con voz dulce preguntó la madre, a lo que el pequeño Raal contestó con gran ánimo.

—"*Es que deberías de verlos jugar, todos corriendo a esconderse, después toman agua de los ríos, y después juegan con una pequeña pelota y todos abrazan al que logre meter la pelota en una red, después en unos extraños juegos de acero trepan como si fueran monos y todos ríen, bueno… aunque alguno que otro llora cuando se cae... por eso quiero jugar con ellos*", su mamá mostró una enorme sonrisa y casi cerrando los ojos le respondió:

—"*¿Pero que acaso con tus amigos no puedes jugar a hacer eso mismo? Yo pensé que te gustaba atrapar y comer arañas con Draki, y también jugar a las descargas eléctricas con Frankie. Me has dejado triste, yo pensé que te divertías con tus amigos.*", nuevamente las vendas de Raal se relajaron debido al desaliento que le crearon los comentarios de su mamá. Él quiso responder con un "*pero Mamá…*" sin embargo, la Mamá—Bruja colocó su dedo índice entre el vendaje de la cara que corresponde a la boca y le dijo:

—"*Tendrás que entenderlo hijo, tu eres diferente y también ellos tienen que entenderlo, es por eso que no puedes jugar con ellos. Ellos jamás aceptarían a un pequeño niño momia, los asustarías y se alejarán corriendo como hasta ahora. Bueno, a menos que no sepan que eres una momia.*"

—"*Hijo*", continuó su Madre con cariño. "*Cada quien tiene un lugar en este mundo, y lo único que te puedo decir es que disfrutes lo que tienes y sobre todo lo que eres*", le dio un pequeño beso en la cabeza y salió de la casa esfumándose en una nube gris.

Durante un tiempo Raal se quedó sentado, retumbaban en su cabeza las palabras de mamá y se preguntaba "*cómo jugar con aquellos niños*", y se ponía triste al pensar aquella frase, "*Tu eres diferente y ellos tienen que entenderlo, por eso no puedes jugar con ellos*".

En el baño y por medio de sus poderes sobrenaturales se miró en el espejo, cabeceó hacia los lados para tener los detalles más exactos de su aspecto y rápidamente entendió que sería imposible llegar a jugar con ellos, "*simplemente soy diferente*" y pensó en sus dos grandes amigos Draki y Frankie, "*también son diferentes*" y se sintió emocionado, contento, recordó lo mucho que quería a sus amigos por lo que se lanzó a buscarlos inmediatamente y jugar nuevamente con ellos.

Montada sobre su escoba mágica, la Mamá—Bruja, desde lo alto de la casa, vio a la pequeña momia salir corriendo, feliz, sonrió y salió volando por los aires lanzando una risa endemoniada.

Raal corrió y corrió y corrió, cada vez con más fuerza hasta encontrar a sus amigos, lo primero que hizo fue abrazarlos y decirles lo mucho que los quería, quedaron los tres abrazados con enormes sonrisas llenas de felicidad por estar nuevamente juntos.

Entonces, comenzó la diversión, empezaron jugando a las escondidillas, aunque, la regla ahora era diferente, el que buscaba tenía que llevarse un gran susto para ganar el juego, y después de varios grandes gritos provocados por espantos, literalmente muriéndose de risa, comenzaron a jugar uno de sus juegos favoritos, le llamaban *"el círculo eléctrico"*, en donde Raal y Draki se tomaban de una mano y con la otra tocaban uno de los tornillos que se encontraban debajo de la oreja de Frankie, éste enviaba descargas que les hacían cosquillas aunque con las risas, una carcajada provocó que Frankie no se pudiera controlar y una gran descarga eléctrica los dejó totalmente fulminados escapando humo por las orejas de los tres amigos; Raal comenzó a reírse al ver a sus dos amigos chamuscados y los tres remataron revolcándose de risa.

Por último, era el turno del juego de Draki, que se trataba de buscar arañas de todo tipo y guardarlas en un frasco, después de quince minutos todos regresaban, y el que capturará más aracnidos ganaba, pero ahí no terminaba la diversión, después ya relajados se las comían una por una.

—"*¡Que buenos juegos!, tenía mucho que no me divertía tanto*", decía Frankie con su voz ronca y grave.

—"*Yo casi me hago pipí de la risa*", decía Raal tocando las vendas y asegurándose de que no haya sucedido precisamente eso.

Los tres amigos contemplaban el pueblo ya cansados, pero felices por los divertidos juegos, y lo que en un momento parecía que se convertiría en un día triste, terminó siendo un excelente día.

—"¿Y qué *harán ahora?*", preguntó Draki al ver a lo lejos el parque donde los niños del pueblo corrían alrededor de los juegos de acero, esquivando extraños vehículos con ruedas que los niños montaban y se transportaban moviendo los pies en forma de círculo.

—"*¡Que nos importa!, son tan diferentes que nosotros no tenemos porque jugar con ellos. Además, huelen mal*", dijo Raal con un tono despectivo seguido de un "*ja*" arrogante.

—"¡Me tengo que ir amigos, *nos vemos mañana!*", se despidió primero Frankie y salió corriendo retumbando el piso con sus zapatotes, después Draki dijo *"Adiós Raal"*, en el mismo momento en que se convertía en un pequeño murciélago y salió volando. Raal se quedó solo y pensativo mientras observaba a los niños del pueblo jugar.

Mientras tanto en alguna parte del pueblo, Carlitos, Arturo, Enrique y Roberto comentaban lo sucedido en la mañana:

—*"Jamás volveré a ir a esa colina. ¿Vieron a la Momia? ¡Estaba horrible!"*, decía Arturo haciendo garras con las manos y mostrando los dientes. Después Enrique y Roberto también exponían sus miedos con respecto a esos fantásticos y distintos niños que viven en la colina, entonces Carlitos se quedó pensativo y les dijo:

—*"Oigan, quizás son inofensivos y únicamente quieren jugar con nosotros. ¿Porqué no vamos a preguntarles? ¿Vamos? Todos somos valientes"*, pero Roberto rápidamente alertó

—"*¿Que no conocen la leyenda de la colina?*", murmuró con un tono serio y misterioso.

Todos los demás se voltearon a ver con cara de interrogación.

—"¡No!", contestaron todos y esperaron con ansia unos segundos por conocer la gran historia, entonces Roberto continuó:

—*"Bueno... eh... bueno, así como saberla yo, tampoco"*, dijo ahora un poco apenado, mientras Carlitos impaciente jaló a Enrique y Arturo para que lo siguieran pero Roberto interrumpió nuevamente.

—*"Oigan, oigan, sólo he escuchado a la gente en el pueblo hablar de la bruja que vive con su hijo, pero es una momia y..., viven en una cueva... y uno de ellos... es un niño momia ¿no?"*, Roberto esperaba haber convencido a sus amigos.

—*"Mira Roberto, las brujas vienen de Europa y las momias de Egipto, bueno... también de Guanajuato, así que, yo no creo nada... además ya casi es Halloween, a lo mejor son niños disfrazados. Voy a buscarlos para jugar con ellos"*, intervino Carlitos convencido con voz firme, dio media vuelta y comenzó a caminar hacia la colina. Enrique y Arturo se voltearon a ver, encogieron los hombros y caminaron hacia donde se dirigía Carlitos.

Roberto se quedó un momento ahí, escuchaba como el aire hacia sonidos al pasar por las ramas de los árboles, ruidos tenebrosos, y al ver que sus amigos se alejaban gritó:

—*"¿Que me van a dejar aquí solo?"*, y sin voltear a verlo le contestaron:

—"Sí"

El aire soplaba cada vez mas fuerte y las ramas seguían sonando tenebrosamente.

Roberto al verse abandonado en tan tenebroso escenario gritó, *"espérenme no sean gachos"*, mientras salía corriendo a alcanzar a sus amigos.

Arriba en lo alto de la colina, Raal iba camino a su casa, como él ya no quería saber nada de los niños del pueblo, tampoco los quería ver por ahí jugueteando por sus terrenos, ahora sentía desprecio por ellos. Como eran diferentes, entonces pensó que eso era suficiente para aborrecerlos.

De pronto escuchó cuchicheos de niños y rápido corrió a esconderse para que no pudieran verlo, reconoció fácilmente a Carlitos que venía nuevamente con sus amigos. Raal, con rencor se preparó para asustarlos a todos y al mismo tiempo lamentó que sus amigos se hubieran ido, ya que hubieran creado una auténtica fiesta de terror para ahuyentar a esos niños y así nunca más los volverían a ver por la colina, por su colina.

—*"Tenemos que encontrar a ese niño momia que vimos en la mañana"*, decía Carlitos, mientras que los demás hacían referencia a los otros dos amigos de la momia.

—"¿Y si el colmilludo me quiere morder?", decía Enrique tititando los dientes de miedo, a lo que Carlitos palmeando su espalda le contestó, *"No va a pasar nada, únicamente queremos jug...."*, antes de que terminara la frase, de los matorrales saltó Raal con tremendo alarido posando las manos hacia el frente, moviéndolas sin ritmo y haciendo horripilantes sonidos.

¡¡¡¡AAAAARRRRRRRGGGG!!!!

La pandilla de los niños del pueblo tropezaron entre ellos cayendo al suelo, comenzaron a sudar por el susto, grandes gotas frías. Raal por su parte no dejaba de emitir alaridos armoniosamente horribles moviendo los brazos para asustarlos más, y al ver que los niños empezaban a llorar lo hacía con más fuerza, hasta que Carlitos con valentía se levantó y arrastrando a sus tres amigos corrió de regreso hacía abajo de la colina a toda velocidad.

Raal, con grandes carcajadas se revolcaba en el suelo, y pensaba, *"si mis amigos hubieran visto esto"*, y no paraba de reír hasta que escuchó un fuerte golpe seguido de gritos.

—"¡Ayuda!, ¡Ayuda!, ayúdenos por favor, estamos atrapados", era Carlitos que en su ímpetu por bajar rápido había caído a un pozo junto con sus tres amigos. Carlitos gritaba desesperadamente; Arturo, Enrique y Roberto no dejaban de llorar.

La pequeña momia forzaba sus sentimientos y sentía dulce su venganza, su corazoncito comenzaba latir más despacio y las vendas se apretaban tanto a su cuerpecito que dolían, ahora tenía que tomar una decisión, era la lucha del bien y el mal.

"Malditos sean, por no querer jugar conmigo porque soy diferente, porque soy un niño momia. Que bueno que se

cayeron", pensaba, y al mismo tiempo también se decía, *"Pobrecitos, tengo que ayudarlos, están solos, asustados y tienen miedo".*

Hipnotizado por la confusión, tomó camino abajo, hasta llegar a la orilla del pozo y lentamente fue asomándose para buscar a los niños, lo que vio fue impactante. Los cuatro niños estaban tendidos abrazados en el suelo, empapados, temblando quizás de frío, pero también de miedo. Raal sintió pena por ellos. Su corazón comenzó a latir con fuerza nuevamente.

Carlitos, el más fuerte de todos comenzó a decirles, *"Todo estará bien, no hay nada de que preocuparse, ya vendrán a buscarnos"*, fue entonces cuando Raal al asomarse mucho, también cayó al pozo y los niños comenzaron a llorar más fuerte, excepto Carlitos.

—*"Por favor no nos hagas daño. Únicamente queríamos jugar contigo"*, dijo Carlitos, y Raal de inmediato sintió un alivio y los vendajes comenzaron a relajarse nuevamente.

Raal se puso de pie y camino lentamente hacia los chicos, los amigos de Carlitos comenzaron a llorar aún más, entonces Raal los abrazó a todos y les dijo:

—*"Perdónenme por haberlos asustado, creí que no querían jugar conmigo. Todo estará bien, yo los voy a ayudar a salir de aquí*", al escuchar esto, todos dejaron de llorar y Carlitos se emocionó. Raal les dijo, "*hagámos una pirámide para que todos podamos subir*", todos estuvieron de acuerdo con la idea del pequeño niño momia.

El primer pilar era Carlitos por ser el más fortachón, después Arturo seguido por Enrique y Roberto. El primero en subir y salir del pozo fue el pequeño Raal, ayudó a salir a Roberto, después a Enrique y Arturo pero no alcanzaban a llegar a Carlitos. Buscaron ramas para poder subirlo y ninguna dio resultado hasta que Raal dijo, "*¡Lo tengo!*".

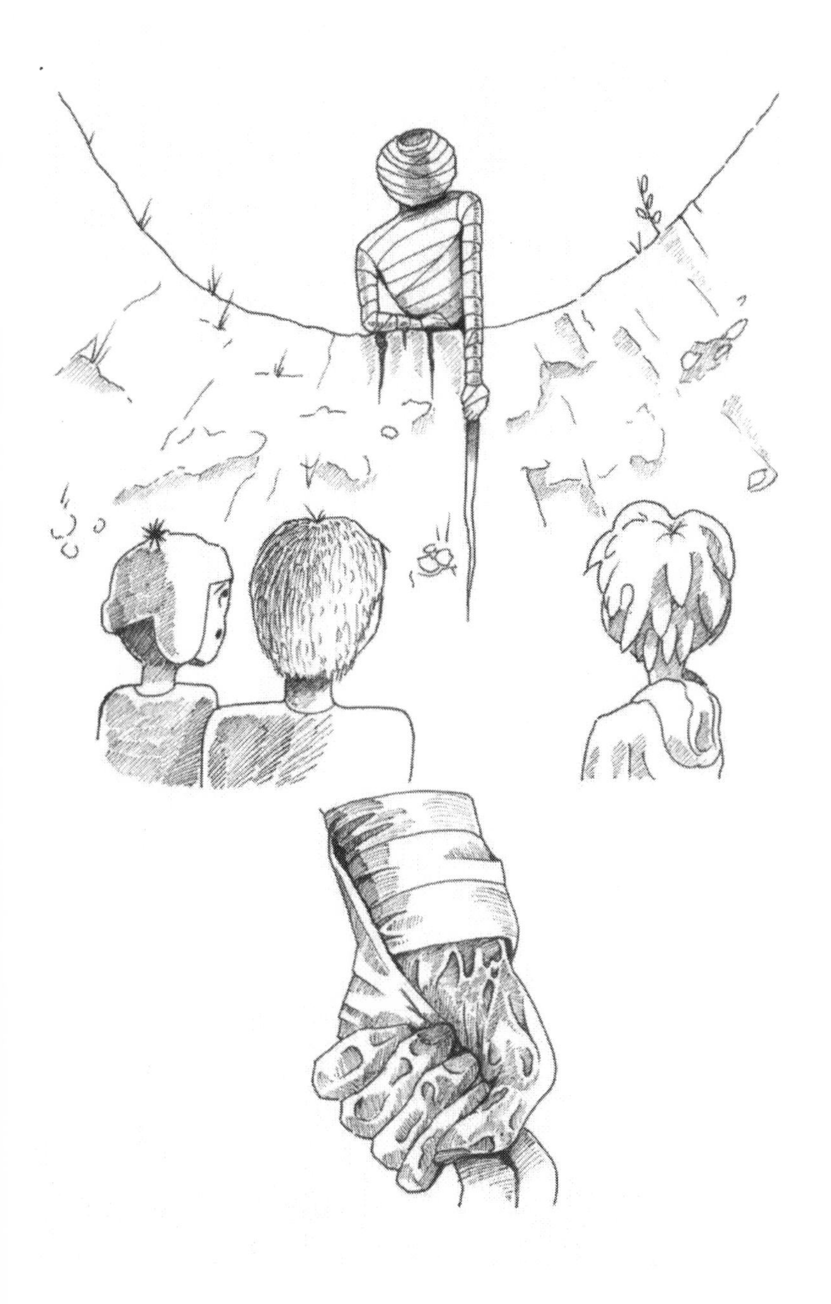

El pequeño niño momia comenzó a desvendarse el brazo izquierdo, ahí, al ver su delgado brazo parecido a un hueso grisáceo, se dieron cuenta que realmente era una momia. Tiró la venda hacía Carlitos y con su fuerza sobrenatural pudo subirlo rápidamente. Todos contentos agradecieron a Raal por su idea y por haberlos salvado.

Ya era de noche y los papás de los niños del pueblo, se internaron en el bosque gritando los nombres de los niños.

—*"Espero que nos volvamos a ver"*, dijo Carlitos a Raal dándole la mano, mientras los otros tres niños agachados se escondían con algo de temor detrás de Carlitos únicamente agitando las manos en señal de despedida.

Y así los tres niños, a paso lento y con cuidado fueron bajando. Raal tranquilo los contemplaba, miraba con agrado los abrazos de los papás a los niños al encontrarlos.

Suavemente un brazo se posó en sus hombros, abrazando al pequeño niño momia.

—*"Estoy orgullosa de ti hijo"*, dijo su madre, que apareció por arte de magia abrazándolo cada vez con más fuerza.

—*"¡Gracias Mamá!"*, replicó el pequeño Raal, feliz por lo que había sucedido y abrazó fuerte a su Mamá—Bruja, y con un beso en la cabecita la bruja desapareció.

Despacio, con pasos pequeños, Raal regresaba a casa, el viento era fuerte y en contra de él las hojas secas volaban con fuerza; de pronto una pieza de papel quedó pegada en sus vendas, la tomó y con una manita la comenzó a leer como en braile.

La nota decía: *"Gran Noche de Halloween, ven con tus amigos y no olvides tu disfraz"*.

Una lluvia de alegría lo inundó y recordó las palabras de su mamá:

"Ellos jamás aceptarían a un pequeño niño momia, los asustarías y se irán corriendo como hasta ahora. A menos que no sepan que eres una momia", entonces, si no se daban cuenta, podrían estar con todos sus amigos. Y dando saltos de alegría regresó a casa muy contento imaginando como sería llegar a una fiesta de Halloween.

NOCHE DE HALLOWEEN

Al siguiente día, Raal se juntó con sus dos amigos, les platicó todo lo sucedido la noche anterior y la gran noticia de la fiesta de disfraces del próximo fin de semana; entonces comenzaron la organización, los preparativos para llegar, así como los juegos que llevarían para jugar con los niños del pueblo.

Llegó el día, Raal se pintó una gran sonrisa de color rojo con un marcador de labios de su mamá, utilizó una gorra y unos graciosos lentes con ojos incluídos que, tan pronto lo vieron sus amigos rieron a carcajadas. Draki llevaba un frasco repleto de insectos de todo tipo para compartir de su botana favorita a los nuevos amigos, Frankie por su parte, había colocado un poco de cinta de aislar en cada uno de sus tornillos para evitar que los niños del pueblo recibieran cargas eléctricas tan fuertes como las que acostumbraba a dar.

HAPPY HALLOWEEN

Al llegar a la fiesta, el ambiente era fabuloso, había niños con máscaras de fantasmas y gritaban *"¡BUUU!"*, sin embargo, a los tres nuevos amigos les ocasionaba risas y gran emoción. Mientras otros niñas y niños disfrazados se correteaban y se subían a los grandes juegos inflables en donde no dejaban de brincar. Draki, Frankie y Raal eran los niños más felices de la fiesta, caminaban comiendo insectos observando toda esa diversión que parecía ser el mejor día de sus vidas. Hasta que.. *"¡PUM!"*, un fuerte empujón tiró al suelo al pequeño Raal, lo primero que pensó es que era una broma de sus nuevos amigos, pero no era así.

Bruno disfrazado de una especie de robot mal hecho con muchos circuitos, cables multicolores colgando por todos lados, los miraba con desprecio y con una sonrisa malévola dibujada en sus labios, les dijo:

—"*¡¿Qué hacen aquí?, trío de tontos!, ¿A ustedes quién los invitó?*", Raal lo reconoció inmediatamente *"es el bravucón que le robó a Carlos"*, se dijo en voz baja. En ese momento Frankie, enojado, comenzó a emitir casquidos por las chispas de los tornillos debajo de sus orejas, eliminando la protección que les había puesto. Draki con los ojos encendidos rechinaba los dientes afilándolos.

De pronto unas manos rodearon los brazos de Raal y lo levantaron; aún con disfraz de pirata, Raal reconoció a

Carlitos. Detrás de él se encontraban también disfrazados, Arturo, Enrique y Roberto con caras enojadas. Para sorpresea de todos, Raal dando grandes carcajadas, se acomodaba las vendas que se habían desajustado con la fuerte caída. Bruno mostrando los dientes soltaba una risita maliciosa, fue entonces que Raal, le estrechó la mano al niño malo.

—"*Ven a jugar con nosotros, te vas a divertir, mira, toma este extremo del cuello de mi amigo y entonces hacemos un circulo, ven, ven, vengan a jugar con nosotros*", no dejaba de hablar Raal, invitando a cual niño pasará, mientras que el grandulón lo miraba con incredulidad y confundido. No sabía el descabellado plan de Raal.

—"*¡Ahora si Frankie, a jugAAAARRRRGHHH!*", fue cuando todos los niños incluyendo al grandulón grosero comenzaron a sentir el hormigueo de la energía eléctrica pasando por su cuerpo. Todos reían estrepitosamente con la energía que les hacia cosquillas, el maloso de Bruno se sentía maravillado por el fenómeno eléctrico, mientras Raal lo observaba con una sonrisa. Entonces, justo en el trasero de Bruno, un cable de su disfraz acumulaba una gran cantidad de electricidad y de pronto... *¡PZZZZZZZZZZZT!*, una enorme descarga eléctrica encendió fuego en su trasero. Disparado y a toda velocidad, se fue corriendo lejos de la fiesta tratando de apagar su disfraz.

ALLOWEEN

Los demás niños cargaron a Raal y a sus amigos por haberle dado una lección a Bruno, que lo más probable, es que ya no le haría daño a nadie jamás.

Raal y todos los demás niños continuaron jugando con las cosquillas de las pequeñas descargas eléctricas de Frankie, provocando sonrisas que terminaron en una diversión incontenible que alentó a que más niños se acercaran y quisieran participar.

Bruno apareció nuevamente, con la cara sucia y con el disfraz roto por la descarga, intentó acercarse a jugar con otros niños, pero todos evitaban estar con él, inclusive sus más cercanos amigos lo evadieron porque preferían jugar felices con los nuevos invitados en lugar de seguir las ordenes de Bruno para molestar a niñas y niños. Bruno se quedó solo, triste en un rincón, viendo como todos alegres se divertían. Por primera vez entendió lo que es ser rechazado.

Bruno cerró los ojos y pensó en la tristeza que les hizo pasar a todos aquellos niños que molesto, entonces se le ilumino la cara por una idea que le vino del corazón. Se levantó decidido y se acercó a Carlitos con paso firme, Carlitos esperando lo peor comenzó a cerrar los puños para defenderse.

— *"Discúlpame Carlos... ten, esto es tuyo. Perdoname no volveré a molestar a nadie"*, dijo Bruno con la cabeza abajo estirando la mano, entregándole la moneda dorada que le había robado.

Carlitos espero un momento, lo abrazó y le dijo.

—*"Mejor quédatela Bruno, la moneda mágica te ayudó a ser feliz asi que vamos a jugar, te prometo que te vas a divertir mucho"*

En seguida Raal se acercó a Bruno y tomándolo de la mano lo invitó a jugar.

En poco tiempo, el círculo eléctrico era tan grande que hasta los papas de los niños se integraron a la fiesta, los más pequeñitos únicamente tocaban las uñas de sus padres para también sentir las cosquillas.

Draki, por su lado, organizó una carrera de arañas mascota, en donde cada niño llevaba una gran araña de piernas peludas tomada con un pequeño listón de colores, no obstante, nadie quiso aceptar el premio, que era comerse a la araña ganadora.

Pronto Raal, Carlitos y muchos niños saltaban en una carpa, las madres más atrevidas se integraron y jugaban a los toques eléctricos de Frankie. Draki quedó pegajoso por todos los dulces y chocolates que comió y que le regalaron sus nuevos amigos.

A lo lejos un par de señores platicaban de la fiesta,

—"*Pero mira, esos pequeños que buenos disfraces se consiguieron*", decía el papá de Carlitos, que llegaba apenas de la oficina, mientras daba un sorbo a una taza de cafe.

La mamá de Carlitos, disfrazada de Bruja, le contestó.

—*"Si, ese niño momia y sus amigos, pero que buenos disfraces, ¿no crees?, y vaya que se divierten. ¿Te imaginas si fueran de verdad?"*

—*"¡Bah! Qué importa, no nos daríamos cuenta!"*, dijo el Papá.

Detrás de ellos apareció otra persona vestida de bruja, y les dijo:

—*"Estoy totalmente de acuerdo son geniales"*, y desapareció.

FIN

Acerca del Autor:

Monterrey, Nuevo León, México, enero 1972. Es profesional en tecnologías de la información. Músico y escritor de cuentos de ciencia ficción, infantiles, juveniles y de extraños casos de la humanidad.

Made in the USA
Coppell, TX
13 October 2022